TM & © 2005 MARVEL

TM & © 2005 MARVEL

TM & © 2005 MARVEL

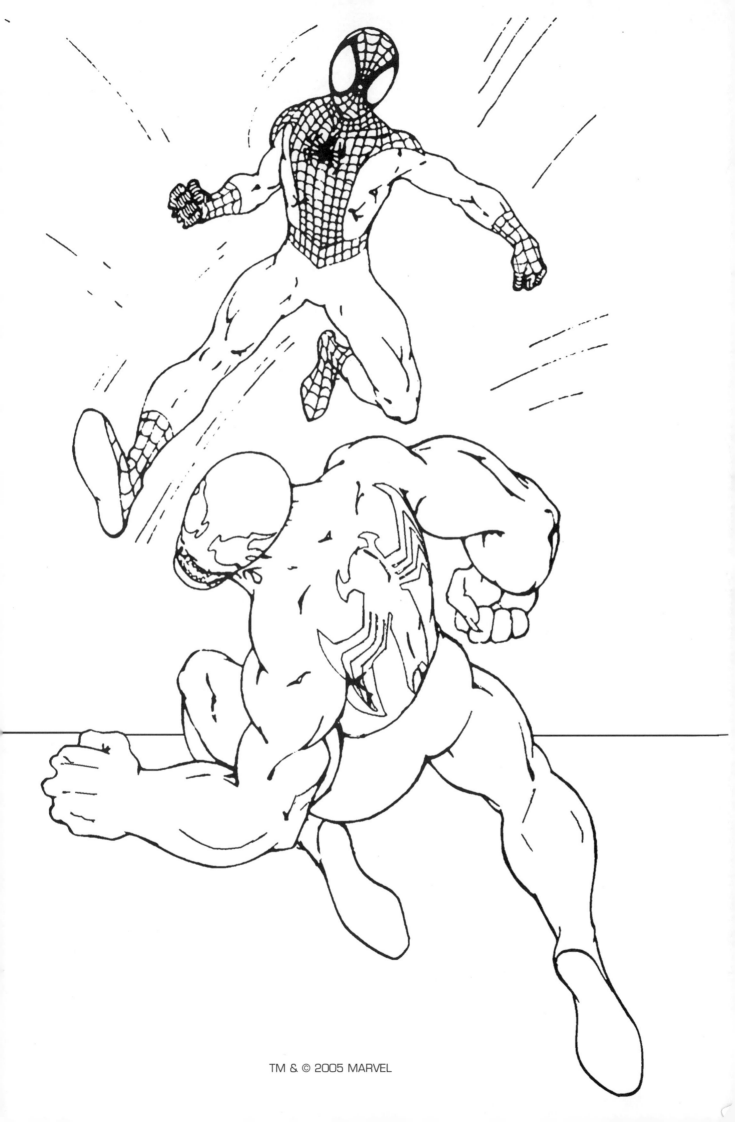

TM & © 2005 MARVEL

TM & © 2005 MARVEL

TM & © 2005 MARVEL

TM & © 2005 MARVEL

Find five differences between the two picture

Picture 1

TM & © 2005 MARVEL

TM & © 2005 MARVEL

Connect the dots.

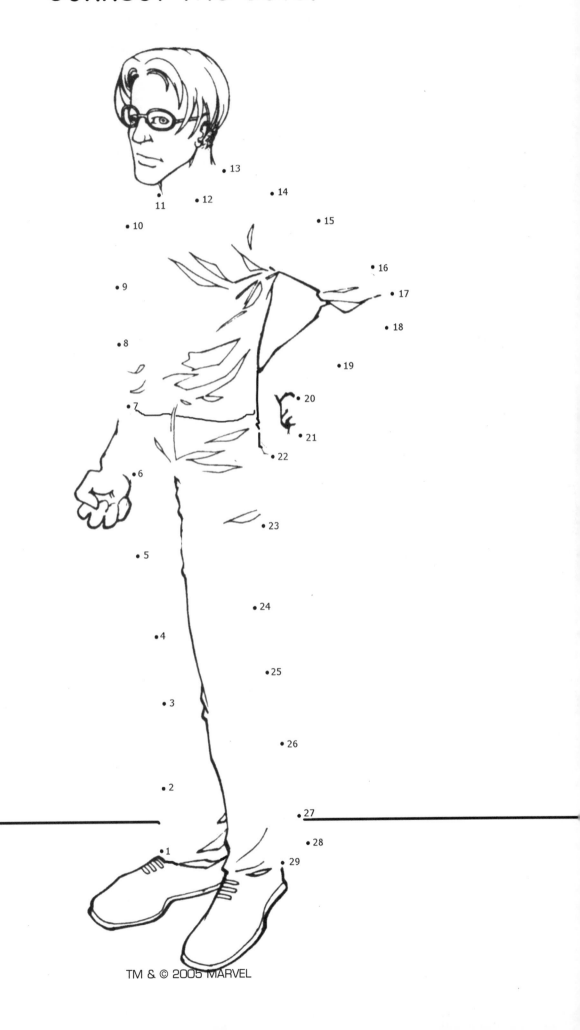

TM & © 2005 MARVEL

TM & © 2005 MARVEL

TM & © 2005 MARVEL

TM & © 2005 MARVEL

TM & © 2005 MARVEL

TM & © 2005 MARVEL

TM & © 2005 MARVEL

TM & © 2005 MARVEL

TM & © 2005 MARVEL

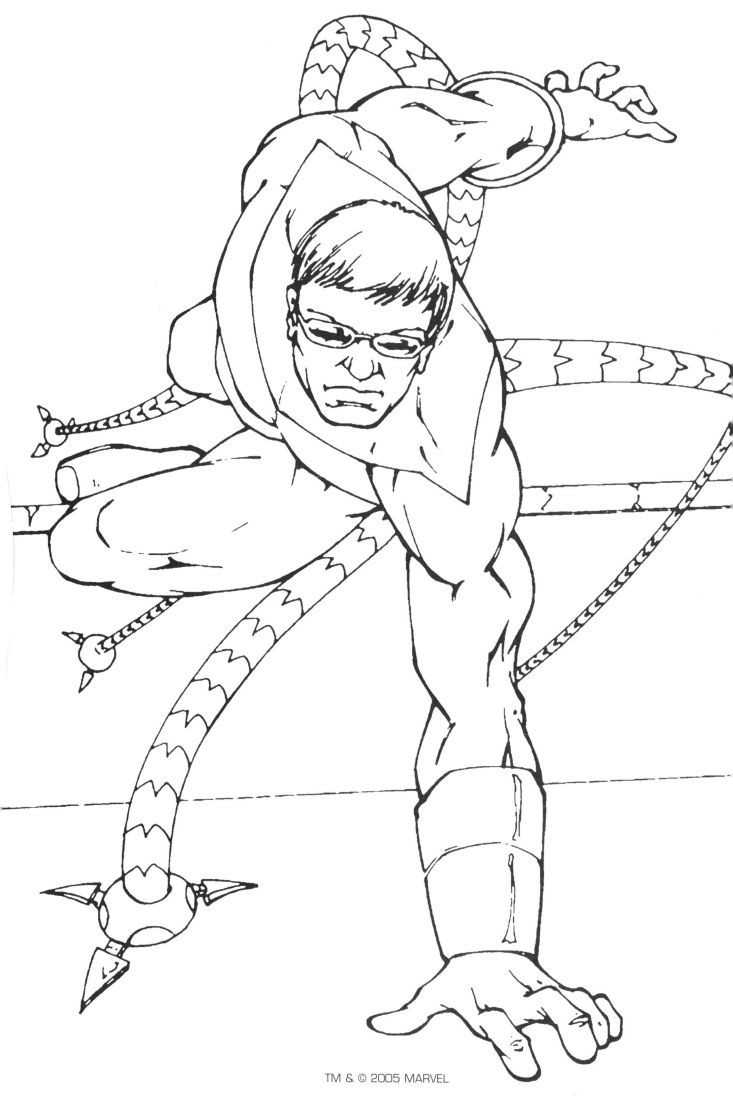

TM & © 2005 MARVEL

TM & © 2005 MARVEL

TM & © 2005 MARVEL

TM & © 2005 MARVEL

TM & © 2005 MARVEL

TM & © 2005 MARVEL

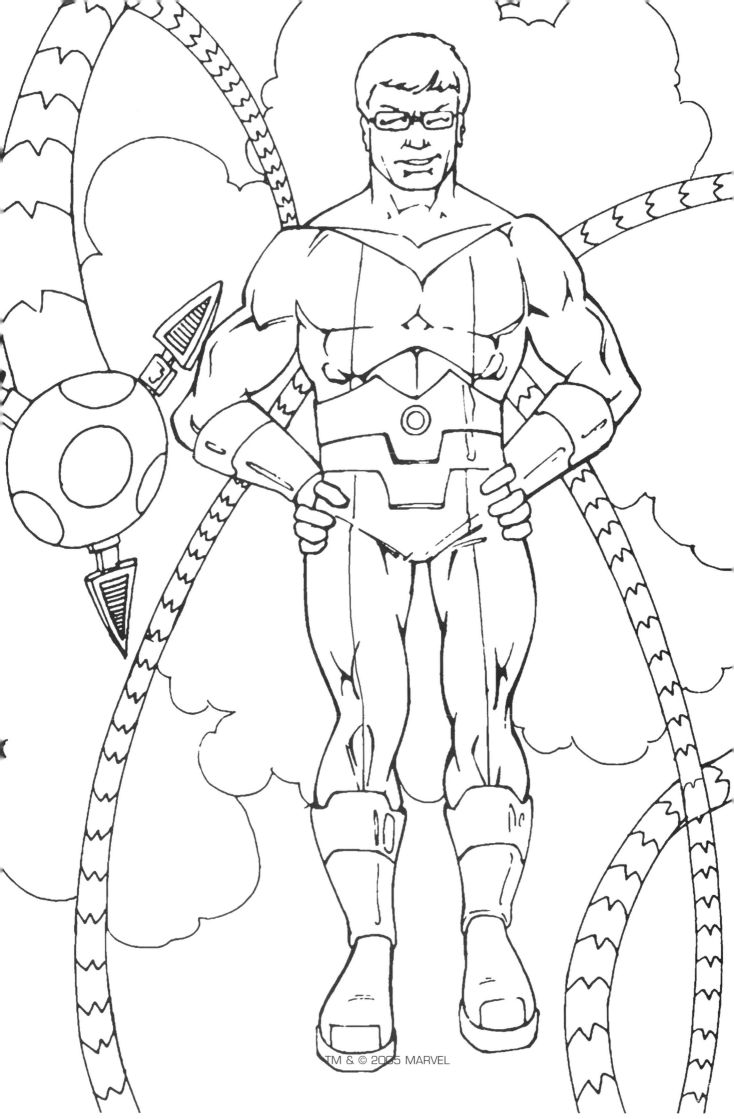

TM & © 2005 MARVEL

TM & © 2005 MARVEL

TM & © 2005 MARVEL

TM & © 2005 MARVEL

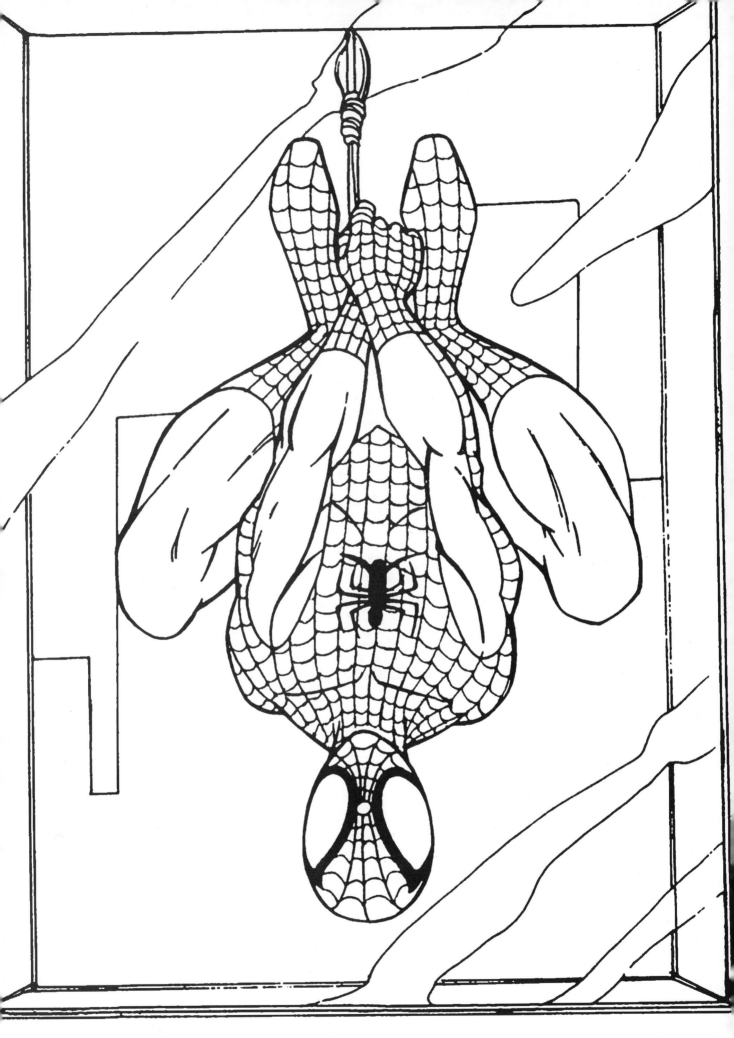

TM & © 2005 MARVEL

TM & © 2005 MARVEL

TM & © 2005 MARVEL

TM & © 2005 MARVEL

TM & © 2005 MARVEL

TM & © 2005 MARVEL

TM & © 2005 MARVEL

Connect the dots.